Anónimo

Cantar de Mio Cid

Adaptación didáctica por C. Valero Planas y M. Barberá Quiles

Actividades de M. Barberá Quiles

Ilustraciones de Giovanni Manna

Redacción: Massimo Sottini
Diseño y dirección de arte: Nadia Maestri
Maquetación: Carlo Cibrario-Sent, Simona Corniola
Búsqueda iconográfica: Alice Graziotin

Primera edición: enero de 2015

Créditos fotográficos:
Dreamstime; Istockphoto; Shutterstock; Thinkstock: Archivo Fotográfico de Fede-Burgos: 5; Raúl Delgado Valencia: 6; © LookImages/Cuboimages: 33; Art Media/Print Collector/ Getty Images: 50; © MEDUSA/WebPhoto: 52; MONDADORI PORTFOLIO/ALBUM: 68; Culture Club/Getty Images: 69; Mary Evans/Tips Images: 70; MONDADORI PORTFOLIO/ALBUM: 78.

Para cualquier sugerencia o información se puede establecer contacto con la siguiente dirección:
info@blackcat-cideb.com
blackcat-cideb.com

The design, production and distribution of educational materials for the CIDEB brand are managed in compliance with the rules of Quality Management System which fulfils the requirements of the standard ISO 9001 (Rina Cert. No. 24298/02/S - IQNet Reg. No. IT-80096)

Impreso en Italia por Italgrafica, Novara

Índice

CANTAR DE MIO CID			5
CANTAR PRIMERO	PRIMERA PARTE	Destierro de Mio Cid	9
	SEGUNDA PARTE	Batalla campal contra Fáriz y Galve	16
	TERCERA PARTE	El Cid envía un regalo al rey	23
CANTAR SEGUNDO	PRIMERA PARTE	La conquista de Valencia	35
	SEGUNDA PARTE	Boda de las hijas del Cid	43
CANTAR TERCERO	PRIMERA PARTE	La afrenta de Corpes	53
	SEGUNDA PARTE	Los infantes deshonran a las hijas del Cid	61
	TERCERA PARTE	Justicia contra los infantes	71
DOSSIERS	La Valencia del Cid y sus tradiciones		30
	El concepto del honor caballeresco en la Edad Media		50
	La figura del Cid en el mundo del arte		68
ACTIVIDADES			8, 13, 21, 27, 34, 40, 47, 58, 65, 76
CINE	El Cid		78
TEST FINAL			79

Texto íntegramente grabado.

Este símbolo indica las actividades de audición.

DELE Este símbolo indica las actividades de preparación al DELE.

Personajes

De abajo arriba: **Álvar Fáñez Minaya, don Rodrigo "el Cid" y su mujer doña Jimena, el abad don Sancho; las hijas del Cid y el rey Alfonso; los infantes de Carrión.**

Monumento al Cid en la villa de Vivar del Cid (Burgos).

El Cantar de Mio Cid

El *Cantar de Mio Cid* es el texto más antiguo de la literatura épica medieval española, una de las tres obras maestras del arte literario español anterior al siglo XVI, junto con *El libro del buen amor* y *La Celestina*.

Don Rodrigo Díaz, el famoso guerrero medieval protagonista de la obra apodado el **Cid** (palabra árabe que significa "señor"), nace en Vivar (Burgos), en 1043. A la muerte de su padre, es enviado a la Corte del rey Fernando I de Castilla, donde es educado junto a sus hijos. En 1060, es armado caballero por el príncipe Sancho, su mejor amigo, quien le nombra oficial y le da el mando de la Guardia Real. Recibe el título de "Campeador" (batallador de campo) en 1067 y muere en 1099. El año en que se escribió la obra sigue siendo un misterio, aunque el célebre historiador don Ramón Menéndez Pidal, señala que se debió escribir hacia 1140, cuarenta años después de la muerte del Cid, y que el manuscrito que ha llegado hasta nuestros días, copiado por el **Per Abbat** a principios del siglo XIV, ha de considerarse una copia de otra copia del original.

Como suele ocurrir con toda la épica medieval europea, se ignora el nombre del autor que compuso el relato de las gestas del Cid. Sin embargo, se supone que el autor debió ser un juglar de Medinaceli (en la actual provincia de Soria), un lugar situado en aquel momento en plena frontera hispano-árabe, por la extraordinaria exactitud en que se describen los lugares que rodean esta localidad.

Por eso, el poema tiene también un extraordinario valor histórico, porque –en cuanto a las descripciones de paisajes y ciudades– el autor muestra gran pericia en sus retratos geográficos: por ejemplo, la ciudad de Valencia es citada con el acertado adjetivo *«la clara»*, y del **robledal de Corpes**, hoy totalmente desértico, el autor escribe que *«los montes son altos, las ramas pujan con las nubes»*. Hay que señalar, además, la estricta fidelidad con que nos habla de las costumbres, trajes, armas y clases sociales de la época.

El aspecto estilístico más destacado de los 3.733 versos que han llegado a nosotros es su vigoroso realismo, ya que el autor consigue ofrecer un cuadro de la época adornado de sobria grandeza y, al mismo tiempo, de una sorprendente exactitud.

Heroico en la batalla, tierno y cariñoso con su familia, el Cid ejerce sobre nosotros una gran simpatía. El juglar nos

La legua 0 en Vivar del Cid, punto de partida del Camino del Destierro.

El Solar del Cid, en Burgos.

lo presenta como un hombre sincero, generoso y optimista, respetuoso con el rey, mientras que los restantes personajes son descritos con rápidos y certeros trazos: la familia sirve para resaltar al buen padre y al buen esposo, y Doña Jimena y sus hijas están al servicio del héroe.

Comprensión lectora

1 Marca con una ✗ si las afirmaciones son verdaderas (V) o falsas (F).

		V	F
1	La palabra "Cid" en árabe significa guerrero.	☐	☐
2	El Cantar de Mio Cid no es el texto más antiguo de la literatura épica medieval española.	☐	☐
3	El Cid es armado caballero por el rey Alfonso VI.	☐	☐
4	Fue escrito diez años después de la muerte del Cid.	☐	☐
5	Su autor es el Per Abbat.	☐	☐
6	Medinaceli estaba situado en la frontera hispano-árabe.	☐	☐
7	El Cid nunca existió.	☐	☐
8	El autor del Cid nos describe con fidelidad los trajes y las costumbres de la época.	☐	☐
9	El Cantar de Mio Cid se compone de 2500 versos.	☐	☐
10	El Cid nos resulta un personaje muy valeroso pero antipático.	☐	☐

Antes de leer

1 **Mira este mapa de España donde aparecen algunas de las localidades del recorrido del Cid. Completa las frases ayudándote con las palabras del recuadro.**

Castilla-La Mancha	Castilla y León	Vivar
Valencia	Guadalajara	Alcocer

1 El Cid se despide de la ciudad de ....

2 La ciudad de .... es la capital de la Comunidad Valenciana.

3 Toledo se encuentra en la comunidad de ....

4 Burgos se encuentra en la comunidad de ....

5 .... y .... son dos pueblos de Castilla-La Mancha.

CANTAR **PRIMERO** ❖ PRIMERA **PARTE**

Destierro de Mio Cid

El Cid se despide de Vivar, suspira lleno de dolor y dice con su prudencia habitual: 

—¡De esto tienen la culpa mis malvados enemigos! ¡Nos echan de nuestra tierra pero regresaremos a Castilla con la honra restituida!

Mio Cid entra en Burgos, sesenta estandartes le acompañan. Salen a verle hombres y mujeres, se asoman a las ventanas conmovidos. Todos dicen lo mismo:

—¡Dios que buen vasallo si tuviera buen señor[1]!

Nadie se atreve a hospedarle porque saben del odio del rey Alfonso.

1. **Dios que buen vasallo...** : frase que significa que si la gente está bien dirigida es capaz de hacer muy bien las cosas.

Se dirige a una posada pero la encuentra cerrada. Entonces se le acerca una niña de unos nueve años:

—El rey nos lo ha prohibido, si os acogemos perderemos nuestra casa, nuestros bienes y los ojos de la cara. Seguid pues vuestro camino.

El Cid comprende que no puede esperar compasión del rey, así que dirige su caballo acompañado de aquellos caballeros, que le siguen en todo, hacia San Pedro de Cardeña.

Cantan los gallos y comienza a romper el alba cuando a San Pedro llega el Cid Campeador. El abad don Sancho, que es buen cristiano, está rezando maitines [2]. Llaman a la puerta, acuden todos al corral con luces y con velas.

—¡Gracias a Dios, Mio Cid! —dice el abad—. ¡Sed mi huésped ya que estáis aquí!

—Gracias señor abad, no quiero hacer gastar dinero al monasterio. He aquí cien marcos para servir durante este año a mi esposa, a sus hijas y a sus damas. Cuidad de ellas y de mi mujer.

Entonces se le acercan Doña Jimena y sus hijas. Doña Jimena se arrodilla ante el Cid Campeador, llorando:

—Campeador, que en buena hora naciste... os destierran las intrigas de los conspiradores. Sé que tenéis que marchar ahora, y que debemos separarnos en vida.

El Cid coge en brazos a sus hijas, se le llenan los ojos de lágrimas y suspira:

—¡Doña Jimena! Os amo tanto como a mi alma. Tenemos que separarnos. ¡A ver si Dios me permite vivir para ver casadas a nuestras hijas y para trataros como merecéis!

Por Castilla se escuchan los pregones que anuncian el destierro

2. **maitines** : primer rezo de la mañana, antes del amanecer.

del Cid. Por seguirle, unos abandonan sus casas, otros sus heredades y todos se acercan a besar su mano. Reconfortado, dice el Cid:

—Ruego a Dios poder procuraros antes de morir algún bien a vosotros, que dejáis por mí, casa y posesiones. Os doblaré lo que perdéis.

El día se va acabando y se acerca la noche. El Cid manda reunir a todos sus caballeros:

—¡Oíd! Recordad lo que debéis hacer: por la mañana al cantar el gallo, mandad ensillar[3]. El buen abad tocará a maitines, nos dirá la misa de la Santa Trinidad y después montaremos a caballo.

Pasa la noche, llega la mañana y comienzan a ensillar con el segundo canto del gallo. Tocan a maitines con gran prisa. El Cid y su mujer van a la iglesia, y doña Jimena se pone a rezar como mejor sabe, pidiendo al Creador proteger al Cid de todo mal.

Acaba la oración, finaliza la misa, salen de la iglesia con intención de montar ya. El Cid abraza a doña Jimena, que le besa la mano llorando sin saber qué hacer. Él mira de nuevo a sus hijas:

—Dios os tendrá bajo su manto, hijas. Nos separamos ahora y sabe Dios cuando nos volveremos a encontrar.

No se ha visto nunca un llanto como aquel. Se separan unos de otros como la uña de la carne.

Sueltan las riendas, empiezan a caminar, es el último día de plazo.

Cuando se pone el sol, el Cid inspecciona a su gente y cuenta hasta trescientas lanzas, todas con banderas.

3. **ensillar** : poner la silla a un caballo.

Después de leer

Comprensión lectora

1 Marca con una ✗ si las afirmaciones son verdaderas o falsas.

		V	F
1	El Cid culpa de su desgracia a sus enemigos.	☐	☐
2	El Cid entra en Burgos con setenta estandartes.	☐	☐
3	Una niña se le acerca.	☐	☐
4	Todos ofrecen hospedaje al Cid.	☐	☐
5	Doña Jimena reza por la suerte del Cid.	☐	☐
6	Todos lloran al despedirse.	☐	☐
7	El Cid le da dinero al abad.	☐	☐
8	Al amanecer el Cid manda ensillar los caballos.	☐	☐

2 Responde a las siguientes preguntas.

1 ¿Piensa el Cid en regresar a Castilla? ¿Cómo?
2 ¿Qué dicen todos al verle entrar en Burgos?
3 ¿Le dan hospedaje? ¿Por qué?
4 ¿En qué momento del día llega el Cid al monasterio de Cardeña?
5 ¿Para qué le da dinero el Cid al abad?
6 ¿Cómo se separan todos?
7 ¿Qué hace el Cid al ponerse el sol?

3 Forma frases uniendo los elementos de las dos columnas.

1 ☐ Nos echan de nuestra tierra
2 ☐ ¡Dios qué buen vasallo
3 ☐ Nadie se atreve a hospedarle
4 ☐ Cantan los gallos
5 ☐ El abad don Sancho
6 ☐ El día se va acabando
7 ☐ Se separan los unos de los otros

a y comienza a romper el alba.
b porque saben del odio del rey.
c está rezando maitines.
d si tuviera buen señor!
e como la uña de la carne.
f pero regresaremos a Castilla.
g y se acerca la noche.

Gramática

Los adjetivos posesivos

	Un solo poseedor	Varios poseedores
Sing.	mi	nuestro- a (con una cosa poseída)
Plur.	mis	nuestros- as (con varias cosas poseídas)
Sing.	tu	vuestro- a (con una cosa poseída)
Plur.	tus	vuestros- as (con varias cosas poseídas)
Sing.	su	su (con una cosa poseída)
Plur.	sus	sus (con varias cosas poseídas)

Los adjetivos ***mi***, ***tu***, ***su*** solo concuerdan en número, mientras que ***nuestro*** y ***vuestro*** concuerdan en género y número.

4 Escribe frases breves utilizando los adjetivos posesivos. Sigue el ejemplo.

yo/ lápiz → Es mi lápiz.

1 Nosotros/ coche ....
2 Usted/llaves ....
3 Nosotros/ perros ....
4 Él/zapatos ....
5 Vosotras/casa ....
6 Vosotras/fotos ....
7 Ella/ hijos ....
8 Yo/amigas ....

5 Escribe los adjetivos posesivos que faltan.

—Gracias señor abad, no quiero hacer gastar dinero al monasterio. He aquí cien marcos para servir durante este año a (**1**) .... esposa, a (**2**) .... hijas y a (**3**) .... damas. Cuidad de ellas y de (**4**) .... mujer.
Entonces se le acercan Doña Jimena y (**5**) .... hijas. Doña Jimena se arrodilla ante el Cid Campeador, llorando:
—¡A ver si Dios me permite vivir para ver casadas a (**6**) .... hijas y para trataros como merecéis!
El Cid coge en brazos a (**7**) .... hijas, se le llenan los ojos de lágrimas y suspira:
—¡Doña Jimena! Os amo tanto como a (**8**) .... alma. Tenemos que separarnos.
Por seguirle, unos abandonan (**9**) .... casas, otros (**10**) .... heredades y todos se acercan a besar (**11**) .... mano.

Léxico

6 Une cada palabra de la columna izquierda con la de significado contrario de la columna derecha.

1	☐ amor	a	malvado
2	☐ abierto	b	conmovido
3	☐ serenado	c	honra
4	☐ desprecio	d	odio
5	☐ ocaso	e	cerrado
6	☐ abandonar	f	compasión
7	☐ deshonra	g	noche
8	☐ día	h	proteger
9	☐ bueno	i	alba

7 Resuelve el crucigrama.

Horizontales

1 Comunicación pública en voz alta.
2 El .... Campeador.
3 Elevación de la mente a Dios para adorarlo o pedirle favores.

Verticales

1 El Cid llega a este convento al amanecer.
2 Un gallo pequeñito es un............
3 Estandarte que colgaba de un extremo de la lanza.

Expresión escrita y oral

8 El Cid pide ayuda, pero nadie se la da. ¿Te has encontrado alguna vez en situación de dificultad? ¿Te han ayudado? Escríbelo (5-10 líneas) y después cuéntaselo a la clase en dos minutos.

Batalla campal contra Fáriz y Galve

Cerca de Castejón de Henares, el Cid prepara la emboscada. Toda la noche ha estado emboscado por consejo de su fiel escudero Álvar Fáñez Minaya:

—Cid, que en buena hora ceñiste espada, te conviene quedarte detrás con cien de los nuestros; a mí me darás doscientos para ir a la vanguardia. Con Dios y ventura, vamos a salir bien de la empresa.

Y el Campeador:

—Dices bien, Minaya. Te acompañarán Álvar Álvarez, Salvadórez y Galindo García, valiente lanza. Yo me quedaré a la retaguardia con los otros ciento.

Ya rompe el alba, ya viene la mañana, ya sale el sol. Los de Castejón se levantan, abren sus puertas y salen a su trabajo.

Batalla campal contra Fáriz y Galve

El Campeador abandona entonces su escondite, y va contra Castejón.

Los que guardan la puerta, llenos de terror al ver venir tanta gente, se van. El Cid Ruy Díaz entra entonces por la puerta abierta, la espada desnuda en la mano, y da muerte a quince moros. Gana a Castejón, y su oro y su plata.

En tanto, los doscientos de vanguardia corren y saquean toda la tierra. Traen grandes ganancias, rebaños de ovejas y vacas, y otras riquezas. Reúnen el botín y manda repartir cuanto antes todo lo que han ganado. Buena parte sacan sus caballeros: cien marcos de plata.

El Cid abandona el castillo y da la libertad a cien moros y moras.

Tras algunos días de marcha van a descansar a Alcocer. Monta el campamento, unas tiendas en la sierra y en el río las otras. Pero viendo que Alcocer no se le rinde, inventa una estratagema: manda levantar todas las tiendas menos una, y se va por el río Jalón.

¡Cómo se alegraban los de Alcocer viéndolos marcharse!

Al Cid se le ha acabado ya el pan y la cebada, y va de tal modo como escapando derrotado con los suyos. Los de Alcocer decían:

—Vamos a asaltarle ahora y ganaremos buen botín.

Y grandes y chicos se salían de la ciudad dejando las puertas abiertas.

Entonces el Campeador se gira y manda volver la enseña y lanzar los caballos hacia Alcocer.

—¡A ellos, mis caballeros! Si Dios nos ayuda, la riqueza será nuestra.

¡Oh Dios, qué alegría la de esa mañana! Adelante van el Cid y Álvar Fáñez con buenos caballos, y en poco tiempo matan a trescientos moros; la victoria está ganada.

Los vencidos envían un mensaje al rey de Valencia:

«El Cid ha ganado con engaño el castillo de Alcocer; si no nos socorres, perderás Ateca, Terrer y Calatayud».

Le pesó de corazón al rey Tamín cuando supo esto.

—Tres emires veo junto a mí —dice—. Id allá dos cuanto antes, llevando tres mil moros bien armados; cogedlo vivo y traedlo ante de mí.

Cabalgan los tres mil moros y por la noche llegan a Calatayud.

Se reúne numerosísima gente bajo los dos emires Fáriz y Galve. Van a asediar al buen Cid en el castillo de Alcocer. Después de montar las tiendas, forman el campamento y aumentan las fuerzas. Les cortan el agua a los del Cid, y por tres semanas los asedian. Al empezar la cuarta, el Cid convoca a consejo a los suyos y les dice:

—Ya los moros nos han quitado el agua y puede faltarnos el pan. Decidme, pues, caballeros, lo que os parece que tenemos que hacer.

Toda la noche la pasan en armarse, hasta la aurora. Abren las puertas y salen. ¡Con qué prisa se arman los moros! Ya se adelantan las filas de los moros para encontrarse con el Cid.

—Quietos, caballeros. Nadie tiene que moverse si yo no lo ordeno.

Pedro Bermúdez ya no puede contenerse y corre con su caballo:

—¡Oh leal Cid! ¡Voy a meter nuestra enseña en la fila mayor de los moros!

—¡No lo hagas, por caridad! —grita el Campeador.

Pero el otro, al galope, se mete donde los moros le esperan. El Cid grita:

—¡Ayudadle, por caridad! ¡A ellos, mis caballeros, en el nombre de Dios! ¡Yo soy Ruy Díaz de Vivar, el Cid Campeador!

Todos dan sobre la fila en que está luchando Pedro Bermúdez. Los moros invocan a Mahoma y los cristianos a Santiago. En poco tiempo yacen por el campo más de tres mil moros.

¡Oh qué bien pelea, sobre su caballo, el Cid Ruy Díaz! ¡Oh qué bien Minaya Álvar Fáñez, Martín Antolínez, Muño Gustioz, y Álvaro Salvadórez, y Galindo García el buen aragonés!

Los caballeros cristianos socorren a Minaya Álvar Fáñez, porque le han matado el caballo. También se le ha roto la lanza, pero mete mano a la espada y va dando unos cortes furibundos. Lo ve el Cid Ruy Díaz, el castellano, y acercándose a un general moro que trae un caballo excelente, le tira un golpe con la derecha que, cortándole por la cintura, le echa al suelo la mitad del cuerpo. Después se acerca a Álvar Fáñez para darle el caballo. Monta Minaya sin soltar la espada de la mano y sigue luchando.

En tanto, el bien nacido Ruy Díaz le lanza tres golpes al emir Fáriz: el tercero lo acierta y escurre la sangre por la loriga. De solo aquel golpe queda derrotado el ejército. Martín Antolínez asesta tal tremendo golpe al moro Galve que le parte el yelmo entrando en la carne. Los emires Fáriz y Galve están derrotados, gran día para la cristiandad, por todas partes huyen los moros. El caballo le ha salido bueno a Minaya Álvar Fáñez, y así ha podido matar hasta treinta y cuatro moros. ¡Oh cortante espada, qué ensangrentado está el brazo, escurriéndole por el codo la sangre!

Los del Cid se entregan después a saquear el campamento, recogiendo escudos, armas y abundantes riquezas. ¡Oh Dios, qué bien paga a los suyos, así soldados de a pie, como soldados a caballo! Todos los que le acompañan quedan contentos.

Después de leer

Comprensión lectora

1 Responde a las siguientes preguntas.

1 ¿Dónde prepara el Cid la emboscada?
2 ¿Quién se queda en la retaguardia?
3 ¿Quién se queda en la vanguardia?
4 ¿Qué ganancias obtienen los del Cid con el saqueo de Castejón?
5 ¿Dónde van a descansar?
6 ¿Dónde se monta al campamento?
7 ¿Por cuánto tiempo asedian a los del Cid en Alcocer?
8 ¿Quién ataca a los moros desobedeciendo al Cid?
9 En la batalla, ¿a quién invocan los moros?
10 Y los cristianos, ¿a quién invocan?

Rincón de cultura

2 En el capítulo 2 se dice:

«Monta el campamento, unas tiendas en la sierra y en el río las otras».

La palabra "campamento" proviene del latín "campus", que significa llano, llanura, campo. En la antigua Roma, el campamento era un lugar despoblado donde se establecían temporalmente fuerzas del ejército. En cambio, hoy en día el campamento es un lugar al aire libre para albergar viajeros, turistas, etc. De los siguientes significados de la palabra campamento ¿Cuál es la definición que más se aproxima al texto?

1 acción de acampar.
2 instalación eventual, en terreno abierto, de personas que van de camino o que se reúnen para un fin especial.
3 lugar al aire libre, especialmente dispuesto para albergar viajeros, turistas, personas en vacaciones, etc. Mediante retribución adecuada.
4 lugar en despoblado donde se establecen temporalmente fuerzas del Ejército.
5 tropa acampada.

Léxico

3 Asocia las palabras del cuadro a su significado correspondiente.

a crepúsculo **b** tarde **c** alba **d** puesta del sol **e** aurora

1 ☐ Parte del día en la que el sol comienza a descender.
2 ☐ Tiempo en el que empieza a oscurecer.
3 ☐ Primer instante preciso en que el día sucede a la noche.
4 ☐ Primera luz blanquecina que anuncia el inicio del día.
5 ☐ Luz brillante y dorada que anuncia la salida del sol.

4 DELE Completa las palabras que faltan, eligiendo una de las palabras abajo indicadas.

(1) .... algunos días de marcha van a descansar a Alcocer. Monta el (2) .... , unas tiendas en la sierra y en el río las otras. Pero viendo que Alcocer no se le rinde, inventa una (3) .... : manda levantar todas las tiendas menos una, y se va por el (4) .... Jalón.
¡Cómo se alegraban los de Alcocer viéndolos marcharse! Al Cid se le ha acabado ya el pan y la cebada, y va de tal modo como escapando (5) .... con los suyos. Los de Alcocer decían:
—Vamos a asaltarle ahora y ganaremos buen (6) ....
Y grandes y chicos se salían de la ciudad dejando las puertas abiertas.

1	a ☐ después	b ☐ tras	c ☐ luego
2	a ☐ reducto	b ☐ campamento	c ☐ fuerte
3	a ☐ truco	b ☐ ardid	c ☐ estratagema
4	a ☐ torrente	b ☐ afluente	c ☐ río
5	a ☐ vencido	b ☐ destrozado	c ☐ derrotado
6	a ☐ trofeo	b ☐ triunfo	c ☐ botín

Expresión escrita

5 ¿Te gustaría asistir a un campamento de verano en España? ¿Qué lugar elegirías? ¿Qué actividad practicarías? (8 líneas)

El Cid envía un regalo al rey

Todos están contentos con las riquezas de los enemigos que el Cid les ha dado. Dice el Cid:

—Oye Minaya, mi brazo derecho, tienes que ir a Castilla, porque deseo obsequiar al rey Alfonso que me ha desterrado, con treinta caballos, todos con sus sillas y frenos y espadas.

—Eso me gusta —dice Álvar Fáñez.

—He aquí oro y fina plata. Pagaréis mil misas en Santa María de Burgos; si sobra algo, se lo dais a mi mujer e hijas, que van a rogar por mí —contesta el Cid.

—Eso está hecho.

Parte Minaya de madrugada, y el Cid se queda con los demás.

Todos los días, los moros de la frontera están espiando al Cid.

Algo traman con consejo del emir Fáriz ya repuesto de sus heridas.

Álvar Fáñez llega ante el rey y le presenta los treinta caballos.

—Minaya, ¿quién me manda un regalo tan grande?

—El Cid Ruiz Díaz. Y a vos, rey honrado, os envía este presente y os besa los pies y las manos.

—Acepto el presente por venir de patrimonio de moros. A ti, Minaya, te perdono y te restituyo honores y tierras y te doy mi permiso para entrar y salir de Castilla. Pero respecto al Cid, no quiero decirte nada más.

Minaya Álvar Fáñez, besándole las manos exclama:

—¡Gracias, gracias mi rey y señor natural! Esto concedéis ahora, mañana concederéis algo más.

—No se hable más de esto, ve con toda libertad por Castilla y reúnete con el Cid porque nadie te molestará.

Minaya le responde:

—Quiero deciros que el que en buena hora ciñó espada hace correrías y somete a tributo todo el valle Martín, pasa más allá de Teruel y logra imponer tributo a Zaragoza.

Al cabo de un mes, aparece Minaya, de vuelta de Castilla.

Cuando el Cid lo ve, aguija el caballo y va a abrazarlo. El otro le cuenta lo sucedido sin ocultarle nada, y el Campeador, sonriendo alegremente, le dice:

—¡Gracias a Dios y a todos sus santos! Si cuento contigo, todo me ha de salir bien en la vida.

El que en buena hora nació coge doscientos caballeros y emprende una correría nocturna por tierras de Alcañiz.

Los de Zaragoza aceptan con agrado el tributo. Con tales riquezas, todos vuelven alegres al campamento. El prudente capitán, no pudiéndose contener, sonríe y dice:

—Oíd, caballeros, he de hablaros claro: vamos a cabalgar al

amanecer, recoged las tiendas y adelante.

Por todas partes vuela la noticia, y al fin llega al conde de Barcelona: el Cid Ruy Díaz anda saqueando las tierras.

Muy orgulloso es el conde y habla como muy vanidoso:

—El Cid de Vivar me está causando grandes daños, y ahora está saqueando las tierras de mi protectorado.

Sus fuerzas son muy grandes y empieza a concentrarse a toda prisa. Mucha gente mora y cristiana se reúne con el conde para ir contra el buen Cid.

El Cid comprende que tiene que entrar en batalla.

Cuando ven venir las fuerzas de los catalanes, el Cid, el bien nacido, manda atacar. Se arrojan animosamente los suyos con sus banderas y sus lanzas, y lo hacen tan bien que a unos hieren y a otros derriban.

¡Ha vencido ya la batalla el bien nacido! Preso tiene al conde don Ramón y se lo lleva a su tienda. Le preparan una buena comida pero el conde no quiere comer. Pasan tres días y todavía no ha probado una miga de pan.

—Vamos, conde, come un poco y te liberaré —insiste el Cid.

—Cid —contesta el conde—, si cumples lo que acabas de ofrecerme, habrás hecho la maravilla más grande de mi vida.

—Después de comer, te soltaré a ti con otros dos caballeros.

El conde y los dos caballeros se ponen a comer con apetito.

—Cid, si te parece, podemos marcharnos ahora mismo —dice el conde.

Los soldados del Cid mandan traer tres caballos ensillados, vestiduras, mantos y pieles.

—Ya te marchas libre, conde —le responde el Cid—. Te agradezco los bienes que me dejas.

Partido el conde, el de Vivar se reúne con los suyos y da rienda suelta a su alegría al ver el gran botín ganado.

Después de leer

Comprensión lectora

1 Marca con una X la opción correcta.

1 El Cid desea regalar al rey Alfonso
- a ☐ 30 caballos.
- b ☐ 30 caballos con sus sillas y frenos.
- c ☐ 30 caballos con sus sillas y frenos y espadas.

2 Minaya aparece de vuelta en Castilla al cabo de
- a ☐ un mes.
- b ☐ un año.
- c ☐ un trimestre.

3 Los que se reúnen con el Conde para ir contra el Cid son
- a ☐ cristianos.
- b ☐ moros.
- c ☐ moros y cristianos.

4 Cuando el Cid ve llegar a Minaya sale a su encuentro
- a ☐ caminando.
- b ☐ corriendo.
- c ☐ cabalgando.

5 El conde don Ramón, prisionero, no quiere
- a ☐ comer.
- b ☐ dormir.
- c ☐ beber.

6 Después de haber comido, el conde es
- a ☐ liberado.
- b ☐ apresado.
- c ☐ castigado.

Comprensión auditiva

5 **2** **Escucha el inicio del capítulo y escribe las palabras que faltan.**

Todos están (**1**) .... con las riquezas de los (**2**) .... que el Cid les ha dado. Dice el Cid:

—Oye Minaya, mi brazo derecho, (**3**) .... que ir a Castilla, porque deseo (**4**) .... al rey Alfonso que me ha desterrado, con treinta (**5**) .... , todos con sus sillas y frenos y espadas.

—Eso me gusta —dice Álvar Fáñez.

—He aquí oro y fina plata. Pagaréis mil (**6**) .... en Santa María de Burgos; si sobra algo, se lo dais a mi mujer e hijas, que van a rogar por mí —contesta el Cid.

—Eso. está (**7**) ....

Gramática

El uso de *mucho* y *muy*

Mucho se usa

- ante los sustantivos.
  En esta habitación hay mucho polvo.
  Hoy tengo muchas cosas que hacer.
- antes o después de los verbos.
  La niña come ***mucho.***
  Mucho *me alegra la noticia.*
- en las comparaciones, antes de los adjetivos mejor, peor, mayor y menor.
  Tu amiga es ***mucho*** *mayor que yo.*
  Esta película es ***mucho*** *peor que aquella.*

Muy se usa

- ante los adjetivos:
  Enrique es ***muy*** *inteligente.*
  Esto está ***muy*** *complicado.*
- ante los adverbios:
  Le va ***muy*** *bien.*
  Mi casa está ***muy*** *lejos.*

3 **Completa las frases siguientes con *muy* o *mucho/a/os/as*.**

1 En Siberia hace .... frío en invierno.
2 En primavera en Sevilla hace un tiempo .... bueno.
3 La señora Díaz hoy está......cansada, ha trabajado ....
4 Este hotel es .... caro.
5 Tengo .... amigas en Asturias.
6 Marta no tiene .... paciencia con los niños.
7 Hay .... personas en la fiesta.
8 Pedro tiene .... dinero.
9 No tengo .... libros.
10 Tengo que estudiar .... y estoy .... nervioso.

Léxico

4 **¿Has comprendido bien? Asocia cada palabra con su definición correspondiente.**

a orgullo
b emir
c tributo
d correría
e vanidad
f botín
g frontera
h espiar

1 ☐ observar disimuladamente lo que se dice o hace.
2 ☐ confín de un Estado.
3 ☐ cualquier tasa continua que impone el uso o disfrute de algo.
4 ☐ hostilidad que hace la gente de guerra saqueando un país.
5 ☐ despojo que se concedía a los soldados como premio de conquista.
6 ☐ príncipe o caudillo árabe.
7 ☐ exceso de estimación propia.
8 ☐ caducidad de las cosas de este mundo.

Producción escrita y oral

5 **El Cid es un héroe de la Edad Media. Y tú, ¿tienes algún héroe? ¿Algún personaje del mundo del deporte o del cine? Escribe unas diez líneas acerca de un personaje al que admiras y a continuación lo cuentas a la clase.**

Las Torres de Serranos.

La Valencia del Cid *y sus tradiciones*

La conquista de Valencia pasa por las provincias de Teruel, Castellón y Valencia. El lugar elegido por el Cid para esperar a los que querían unirse a él en la conquista de la ciudad fue la localidad de Cella, en la actual provincia de Teruel, punto de partida de esta ruta, que finaliza en la ciudad soñada por el Cid.

Durante el siglo XI, el reino de Valencia estaba compuesto por frágiles pactos que aseguraban su existencia en una época de fronteras cambiantes.

En junio de 1094, Rodrigo Díaz de Vivar, el Cid, conquista Valencia a los **almorávides** [1], y permanece en manos de las tropas cristianas hasta 1102.

1. **almorávide** : individuo de una tribu guerrera del norte de África que llegó a dominar toda la España árabe.

En el Cantar, el Cid entra en un territorio enemigo y desconocido, y se narra cómo durante varios años el Cid se desplaza por las costas y las sierras valencianas en lucha continua, debilitando el corazón del reino, hasta que tras un duro asedio, Valencia "la clara" se rinde al Campeador.
A su muerte, los almorávides vuelven a ocupar la ciudad y reinstauran el culto musulmán, dejando un gobernador a su cargo.
La documentación histórica y los descubrimientos arqueológicos sitúan con facilidad algunas de las leyendas del Cid, como el **puente de Alcántara**, donde hoy se encuentran las **torres de Serranos**. Aunque estas torres datan del siglo XIII, aquí estaban la puerta de Alcántara, una de las puertas árabes de acceso a la ciudad en tiempos del Cid, y la **Mezquita Mayor**, consagrada por el Cid en 1096, donde hoy se levanta la catedral. El documento original de este acto, que contiene la firma del Cid, todavía se conserva en la catedral de Salamanca.
Junto a la catedral se halla la **torre campanario del Miguelete**, otro de los símbolos de la ciudad: su cercanía a la antigua mezquita y sus espectaculares vistas, nos llevan a elegirlo como escenario de los siguientes versos del Cantar, en el momento en que el Cid sube a su esposa y a sus hijas a la desaparecida torre del Alcázar, para contemplar su preciada conquista:
"Allí las subió al más alto lugar / Ojos hermosos miran a todas partes, / miran a Valencia, cómo se extiende la ciudad, / y por la otra parte tienen a la vista el mar, / miran la huerta, frondosa es y grande..."
En la **plaza de España** se encuentra un último recuerdo del Cid: la estatua ecuestre del Campeador, obra de Ana Hyatt Huntington, esposa del fundador de la prestigiosa *Hispanic Society*.
Existen varias estatuas gemelas de esta en calles principales de Sevilla, Nueva York, Buenos Aires, San Diego y San Francisco.

Desfile en la fiesta de moros y cristianos de Alcoy.

Las fiestas de moros y cristianos en Alcoy

En toda la comunidad valenciana, desde tiempo inmemorial, se celebran las **fiestas de moros y cristianos**, recuerdo de la Reconquista. La más famosa es la de **Alcoy** (Alicante). Se celebran en abril, para conmemorar el ataque que sufrió la ciudad en 1276. Durante tres días los habitantes de Alcoy, disfrazados de moros y cristianos, desfilan por las calles engalanadas. La fiesta se distribuye en tres días. El primer día es el **Día de las Entradas**, donde se ve al capitán cristiano y a su cortejo hacer la entrada triunfal en la ciudad, mientras la gente entusiasmada lanza confetis y serpentinas de colores desde los balcones. Al caer la noche, tiene lugar la **Entrada de los moros**.

El segundo día se celebra el patrón de la ciudad, San Jorge (San Jordi, en lengua valenciana), personaje clave en la guerra entre cristianos y moros según la mitología cristiana, con misa solemne y procesiones en la aurora y el crepúsculo, en las que se combinan la devoción y la fiesta. Durante el tercer día, el del "alardo"[2], los cristianos imploran

2. **alardo (o alarde)** : exhibición, ostentación.

la ayuda de San Jorge para conjurar el peligro sarraceno. Moros y cristianos se enfrentan verbalmente, lo que se transforma rápidamente en una batalla campal, en una confrontación armada con cañonazos y lenguas de fuego que envuelven el cielo en una coreografía fantástica. Todo se concluye con la **Aparición de San Jorge** a caballo, mientras la ciudad lo aclama exaltada gritando «¡Viva san Jorge!»

Comprensión lectora

1 Responde a las preguntas.

1. ¿En qué lugar espera el Cid a quienes quieran unirse a él para conquistar Valencia?
2. ¿En qué año el Cid conquista Valencia?
3. ¿Cómo conquista Valencia?
4. ¿Qué sucede con la Mezquita Mayor de Valencia?
5. ¿Qué ocurre en Valencia a la muerte del Cid?
6. ¿Continúa siendo cristiana?
7. ¿Por qué podemos ubicar algunas de las leyendas del Cid?
8. ¿Tiene Valencia algún monumento dedicado al Cid?
9. ¿Cuántos días duran las fiestas de moros y cristianos de Alcoy?
10. ¿Quién es el patrón de Alcoy?

Antes de leer

1 Las palabras siguientes se utilizan en el Cantar segundo, primera parte. Asocia cada palabra a su definición correspondiente y comprueba tus respuestas a lo largo del texto.

a miedo
b atalaya
c castigar
d quejarse
e saña
f cerco
g pregón
h hazaña
i pregonero

1 ☐ Intención rencorosa y cruel con que se intenta causar daño.
2 ☐ Sensación de alerta o angustia por un peligro real o imaginario.
3 ☐ Asedio o sitio por un ejército a una plaza o fortaleza.
4 ☐ Causar dolor físico o moral a una persona.
5 ☐ Expresar quejas por un dolor o desgracia.
6 ☐ Torre situada en un lugar alto para vigilancia.
7 ☐ Acción ilustre o heroica.
8 ☐ Oficial público que en alta voz daba los pregones.
9 ☐ Publicación en voz alta, en un lugar público, de un asunto que todos deben saber.

2 Lee la página 36 y después mira detenidamente la ilustración de la página 37 y a continuación responde a las preguntas siguientes.

1 ¿Dónde tiene lugar la escena?
2 ¿Qué tiene en la mano la persona sobre el pedestal?
3 ¿Por qué acuden a escuchar el pregón?
4 ¿Qué hacen las personas ahí reunidas?
5 ¿Por qué tierras de la península ibérica tienen lugar los pregones?
6 ¿Cuántos días va a esperar el Cid? ¿Dónde va a esperar?
7 En tu opinión, ¿qué está diciendo la persona que está sobre el pedestal?

La conquista de Valencia

Habiendo dejado Huesca y las tierras de Montalbán, comienza el Cid a guerrear al lado de la mar salada. El sol sale por Oriente y allí se dirige. Conquista Jérica, Onda, Almenara y las tierras de Burriana. En la ciudad de Valencia hay mucho miedo. Lo miran con temor, de manera que deciden en un consejo ponerle sitio. Salen de noche y con el alba plantan las tiendas en torno a Murviedro. El Cid exclama:

—Andamos por sus tierras y les hacemos todo tipo de males. Nos bebemos su vino, nos comemos su pan, si nos vienen a asediar tienen todo el derecho. La única solución es presentarles batalla.

Después de tres días, reunidos todos, se dirige a ellos:

—¡Que Dios os salve! Los de Valencia nos tienen cercados, si queremos continuar en esta tierra tenemos que castigarles. Preparad los caballos y las armas. Atacaremos su ejército.

Al amanecer se arman todos. Cada uno sabe lo que tiene que hacer. Con el alba el Cid sale a por ellos:

—¡En nombre del Creador y del apóstol Santiago! ¡Matadlos caballeros, con saña y de corazón!

Los moros, que son muchos, se dan a la fuga. A caballo escapan los que pueden. En la huida matan a dos emires moros. Las noticias del Cid se propagan rápidamente. Los de Valencia sienten tanto miedo que no saben qué hacer y hasta el otro lado del mar llegan las noticias del Cid. En expediciones y correrías nocturnas llegan hasta Cullera, a Játiva y más abajo hasta Denia.

El Cid pasa tres años por tierras de moros, saqueando y venciendo. Por el día duerme y por las noches se ocupa de conquistar las ciudades.

Los valencianos se quejan desconcertados, porque no encuentran pan en ninguna parte. Se encuentran desesperados. Envían a por el rey de Marruecos, pero este está en guerra con el rey de las montañas del Atlas y no puede ni aconsejarles ni acudir en su ayuda.

El Cid se entera y se alegra. Ordena que se escuchen pregones por tierras de Navarra, Aragón y Castilla:

"*Si queréis enriqueceros y olvidar vuestras penas, ¡acudid a Mio Cid, que va a poner cerco a Valencia para dársela a los cristianos! Si queréis venir a asediar Valencia, acudid voluntarios y sin ser obligados. Esperaré tres días en el canal de Cella.*"

Llegan los pregoneros a todas partes y mucha gente cristiana acude rápidamente al olor de la riqueza.

Cuando Mio Cid ve a tanta gente reunida, se alegra mucho y no se demora más. Marcha directamente sobre Valencia y cae sobre ella. La asedia con tanta prisa que no le permite escape. A nadie autoriza ni la salida ni la entrada. La asedia durante nueve meses y al décimo se la entregan. ¡Cuánta satisfacción cuando

Mio Cid gana la ciudad! Los peones son ascendidos a caballeros y ¿quién va a poder contar el oro y la plata? Todos se hacen ricos. El Campeador está entusiasmado, como todos los suyos, cuando ve su enseña en lo alto del alcázar[1].

Mientras el Cid y sus mesnadas[2] descansan, la noticia de que Valencia ha caído llega hasta el rey de Sevilla, así que se dirige allí con treinta mil soldados.

Inician la batalla detrás de la huerta, los ataca el Cid y la lucha se prolonga hasta Játiva. Cuando pasa por el río Júcar ya están desorganizados y tienen que escapar corriente arriba.

—¡Gracias a Dios y a Santa María madre, Minaya! Salimos muy pocos de la casa de Vivar y si ahora tenemos riquezas, tendremos muchas más. Os quiero enviar a Castilla. Al rey Alfonso quiero mandarle cien caballos llevados por vos. Besadle la mano de mi parte y rogadle permitirme traer conmigo a mi esposa doña Jimena y a mis hijas.

Según terminan la conversación se ponen a preparar el viaje.

Entonces llega, de la parte de Oriente, y para alegría de todos, un clérigo, el que llaman el obispo don Jerónimo, muy culto y sensato, además de un buen soldado tanto a pie como a caballo.

Va preguntando por las proezas del Cid y suspira por salir de nuevo a combatir en tierra de moros, porque así podrá matarlos y herirlos con sus manos y nunca más tendrá que escuchar las lamentaciones de los cristianos. Cuando conoce la noticia, el Cid se pone muy contento:

—Oíd Minaya, cuando Dios quiere ayudarnos, está bien ser

1. **alcázar** : castillo, fortificación.
2. **mesnada** : en la Edad Media, compañía de gente armada al servicio del rey o de un noble.

agradecidos. Quiero instaurar un obispado en tierras de Valencia y dárselo a este buen cristiano.

¡Cómo se alegra toda la Cristiandad de tener un obispo en tierras de Valencia! Minaya, muy satisfecho, se despide y sale de viaje.

Tras varios días de marcha, Minaya se arrodilla ante todo el pueblo y cae a los pies del rey Alfonso, al que besa las manos con gran sentimiento ofreciéndole los cien caballos.

El rey exclama:

—¡Por San Isidro! Me complacen de corazón esas ganancias obtenidas por el Campeador y me entusiasman sus hazañas. Acepto los caballos que me envía como regalo. Doña Jimena y sus hijas pueden reunirse con el Campeador. Yo les mandaré las provisiones durante el viaje y las guardaré de todo daño y ofensa.

Minaya se despide del rey y de la corte, y envía a Valencia a tres caballeros con este aviso:

—Decid al Campeador, a quien Dios guarde, que el rey ha dado libertad a su esposa y a sus hijas, y que dentro de quince días, si Dios quiere, estaremos a su lado.

Emprenden la marcha; pasan por Albarracín y llegan a Molina.

El moro Abengalbón, señor de aquellas tierras y amigo del Cid, les da toda clase de ayudas y los acompaña hasta Valencia.

El Campeador, montado sobre su caballo Babieca, sale al galope al encuentro de su esposa y de sus hijas. Las abraza y la alegría le brota en lágrimas.

Madre e hijas le besan las manos y entran en Valencia fastuosamente. Desde la atalaya ven cómo se extiende la ciudad de Valencia junto al mar. Contemplan la magnífica y fértil huerta y alzan las manos para agradecer a Dios tanta fortuna.

Después de leer

Comprensión lectora

1 Asocia cada frase a su personaje.

1 ☐ Comienza a guerrear junto al mar.
2 ☐ Se dan a la fuga.
3 ☐ Se encuentran desesperados.
4 ☐ Llegan a todas partes.
5 ☐ No puede acudir en su ayuda.
6 ☐ Se convierte en el Obispo de Valencia.
7 ☐ Acepta los caballos de regalo.
8 ☐ Se arrodilla ante el rey Alfonso.
9 ☐ Puede reunirse con el Cid.
10 ☐ Están entusiasmados.

a los moros
b don Jerónimo
c Minaya
d el Cid
e el rey Alfonso VI
f el rey de Marruecos
g los valencianos
h doña Jimena
i los cristianos
j los pregoneros

Comprensión auditiva

2 Escucha el inicio del cantar segundo y completa el texto.

(1) .... Huesca y las tierras de Montalbán, comienza el Cid a guerrear al lado de (2) .... salada. El sol sale por Oriente y allí (3) ....

Conquista Jérica, Onda, Almenara y (4) .... de Burriana. En (5) .... de Valencia hay mucho miedo. Lo miran con (6) .... de manera que deciden en un consejo ponerle sitio. Salen de (7) .... y con (8) .... plantan las tiendas en torno a Murviedro. El Cid exclama:

—(9) .... por sus tierras y les hacemos todo tipo de males. Nos (10) .... su vino, (11) .... su pan, si nos vienen a asediar tienen todo el (12) .... única solución es presentarles batalla.

Después de (13) ...., reunidos todos, se dirige a ellos:

—¡Que Dios os salve! Los de (14) .... nos tienen cercados, si queremos continuar en esta (15) .... tenemos que castigarles.

Gramática

Las perífrasis verbales (incoativas)

"Según terminan la conversación, se ponen a preparar el viaje"

Una perífrasis verbal es la unión de dos verbos, actuando uno de auxiliar y otro de verbo principal. Está unión proporciona a ambos verbos un nuevo significado.

Las perífrasis verbales incoativas indican el comienzo de la acción que expresa el infinitivo. Aquí tienes algunas:

- Inicio de la acción → **Empezar a** + infinitivo
  Empecé a trabajar *en octubre.*
- Inicio repentino de algo → **Ponerse a** + infinitivo
  Nada más salir ***se pone a llover.***
- Intención de hacer algo → **Pensar** + infinitivo
  Pienso ir *a Paris.*
- Intención firme de hacer algo → **Ir a** +infinitivo
  Mañana ***voy a ir*** *a la playa.*
- Inicio caprichoso de una acción → **Dar por** + infinitivo
  Le ha dado por comer *melón todos los días.*
- Inicio impetuoso de una acción → **Echar a** + infinitivo
  La niña se asusta y ***echa a correr***

3 **Escribe las frases siguientes cambiando la forma perifrástica por una forma verbal más sencilla.**

1 Luisa empezó a estudiar español en septiembre.
....

2 El perro se asusta y se pone a ladrar.
....

3 Carmen piensa ir a Barcelona próximamente.
....

4 A María le da por correr 20 kilómetros todos los días.
....

5 En cuanto el ladrón ve al guardia, echa a correr.
....

Léxico

4 En cada frase hay una palabra en negrita que no es adecuada. Sustitúyela por alguna de las palabras siguientes:

a	matadlos	c	acudid	e	muy
b	ninguna	d	en	f	a por

1 ☐ Con el alba el Cid sale **por** ellos.
2 ☐ ¡**Matarlos** caballeros! Con saña y de corazón.
3 ☐ Los valencianos no encuentran pan en **alguna** parte.
4 ☐ ¡**Acudir** a Mio Cid!
5 ☐ A todos el Cid les da casas **a** Valencia.
6 ☐ El Cid se pone **mucho** contento.

5 DELE Completa las frases eligiendo una de las palabras abajo indicadas. A continuación lo verificas.

Tras varios días de marcha Minaya se arrodilla ante todo el (1) .... y besa la mano al rey con gran (2) .... El rey dice: me complacen estas (3) .... y acepto los caballos que me envía como (4) .... Emprenden la (5) .... Abengalbón les da toda clase de (6) .... Madre e hijas entran en Valencia (7) .... Desde la (8) .... ven la ciudad.

1	a	vecindario	b	población	c	pueblo
2	a	emoción	b	sentimiento	c	entusiasmo
3	a	retribuciones	b	ganancias	c	beneficios
4	a	cortesía	b	ofrenda	c	regalo
5	a	partida	b	marcha	c	expedición
6	a	favores	b	ayuda	c	protecciones
7	a	majestuosamente	b	regiamente	c	fastuosamente
8	a	torre	b	azotea	c	atalaya

Expresión escrita

6 Imagina que vienes con el Cid desde Castilla y al amanecer llegas por primera vez en tu vida al mar Mediterráneo. ¿Qué ves? ¿Qué sientes? (8-10 líneas).

Boda de las hijas del Cid

Mientras el Cid está en Valencia con su mujer y sus hijas, al rey Yúsuf de Marruecos le pesa la prosperidad del Cid. Reúne a cincuenta mil hombres y desembarca en la playa. Ya vienen cabalgando a lo lejos los moros de Marruecos.

Desde la atalaya, el Cid los ha visto. Toca la campana, se arman animosamente y van contra los moros hasta su campamento. Al cerrar el día han dejado muertos quinientos moros.

Al día siguiente, antes del amanecer, el Cid monta sobre Babieca. Con cuatro mil de los suyos ataca a los cincuenta mil contrarios. El Cid emplea la lanza y la espada matando innumerables moros. Captura al rey Yúsuf y regresa con un inmenso botín, el Cid está alegre. Han ganado mucho en armas, en dinero y en caballos.

El Cid elige para su rey Alfonso doscientos caballos, y le manda decir que «siempre le ha de servir mientras viva».

Minaya se pone en camino y llega a Valladolid donde estaba el rey.

—Agradezco mucho al Cid —dice el rey— el presente que me envía.

El conde García y los infantes de Carrión, enemigos del Cid, están llenos de envidia, empiezan a reflexionar. Al final van al rey con esta súplica:

—Queremos, con vuestra licencia, pedir en matrimonio a las hijas del Cid.

—Óyeme, Minaya —dice el rey—, haz saber al Cid que los infantes de Carrión quieren casarse con sus hijas.

Al volver a Valencia, los suyos le cuentan todo al Campeador.

El Cid escribe cartas, las sella y las manda con dos caballeros.

El rey decide que la entrevista será dentro de tres semanas.

Cuando el Campeador ve a don Alfonso se arrodilla y le dice:

—Merced os pido, mi señor, imploro vuestro favor de rodillas.

Y contesta el rey:

—Con todo el corazón te perdono aquí, te devuelvo mi favor y te doy acogida en mi reino desde este día.

Y habla el Cid diciendo estas razones:

—Gracias al Creador he alcanzado la gracia de don Alfonso, mi señor.

Al día siguiente se reúnen todos y habla el rey:

—Escúchame, quiero pedir un deseo al Cid Campeador. Da a tus hijas por mujeres a los infantes de Carrión.

—No debo casarlas —dice el Cid—, ya que son muy pequeñas y no tienen edad para ello. Pero ellas y yo estamos en vuestras manos. Dadlas al mejor en vuestra opinion, que yo quedaré satisfecho. Sois vos quien casáis a mis hijas, no yo.

Se despiden del rey y se dirigen hacia Valencia. Pedro Bermúdez y Muño Gustioz se ocupan de los infantes de Carrión, Fernando y Diego.

Entran en el castillo y doña Jimena y sus hijas salen a recibirlos.

—Hijas, os he casado, reconozco que con este casamiento subimos en nobleza, pero debéis saber que no he sido yo quien lo ha buscado. Mi señor Alfonso lo ha pedido con tanta fuerza que no he podido decirle no. Estáis en sus manos las dos. Creedme, os casa él, no yo.

Comienzan a adornar el palacio y cubren de tapices y alfombras los muros y el suelo.

Mandan traer a los infantes de Carrión, que llegan enseguida a palacio, a caballo, con ropajes magníficos. El Cid se pone en pie:

—Ya que hay que hacerlo ¿a qué estamos esperando? Aquí están mis hijas, las pongo en vuestras manos. Ya sabéis que así lo acordamos con el rey.

Ellas se levantan muy erguidas. El Cid las entrega a Minaya, y este se dirige a los infantes de Carrión:

—Los dos hermanos, poneos ante mí. Por orden del rey Alfonso y en su nombre, os doy a estas damitas. Ambas son nobles. Tomadlas por esposas para honor y bien de todos.

Hecho esto, salen del palacio y se dirigen sin tardanza hacia Santa María. El obispo Jerónimo se viste inmediatamente: los espera a la puerta de la iglesia. Los bendice y canta la misa.

Cuando salen de la iglesia se dirigen, a caballo, al arenal de Valencia y allí corren justas[1] el Cid y sus vasallos con mucha destreza.

Las bodas duran quince días, y al cabo los huéspedes se marchan.

Regresan todos a Castilla excepto el Cid y sus yernos, que se quedan en Valencia, donde los infantes vivirán dos años rodeados de atenciones.

Y aquí acaban las coplas de este cantar. Recibid bendiciones del Creador.

1. **justa** : combate o torneo a caballo y con lanza.

Después de leer

Comprensión lectora

1 Marca con un X si las afirmaciones son verdaderas (V) o falsas (F).

		V	F
1	El Cid emplea la lanza y la espada.	☐	☐
2	El Cid captura al rey Yusuf.	☐	☐
3	El Cid elige para su rey quinientos caballos.	☐	☐
4	El rey decide hacer la entrevista en dos semanas.	☐	☐
5	El Cid está muy contento con la boda de sus hijas.	☐	☐
6	El obispo Jerónimo casa a las hijas del Cid.	☐	☐
7	Las bodas duran diez días.	☐	☐
8	Después todos regresan a Castilla.	☐	☐
9	Los Infantes de Carrión piensan hacerse ricos.	☐	☐
10	Después de casados los Infantes vivirán tres años en Valencia.	☐	☐

2 Un caballero invitado a la boda de las hijas del Cid escribe una carta a su esposa contándole todo, pero está muy cansado y tiene mucho sueño, así que comete algunos errores. Corrígelos.

Ellas se levantan muy abatidas. El Cid las aparta de Minaya y este se dirige a los infantes de Carrión diciendo:

"Los dos hermanos, poneos detrás de mí. Por orden del rey Alfonso y en su nombre, os doy a estas damitas. Ambas son nobles. Tomadlas por esposas para horror y perjuicio de todos".

Hecho esto, salen del palacio y se dirigen sin premura hacia Santa María. El obispo Jerónimo se viste inmediatamente: los espera a la puerta de la iglesia. Los censura y canta la misa.

Cuando salen de la iglesia se dirigen, a pie, al arenal de Valencia y allí corren justas el Cid y sus vasallos con mucha torpeza.

Léxico

3 DELE **¿En qué situación dirías las siguientes expresiones? En este capítulo has encontrado la expresión *Estar en manos de alguien*, que significa "depender de la elección o decisión de otro". Adjudica a cada expresión su significado.**

1 ☐ Echar una mano a alguien
2 ☐ Lavarse las manos en un asunto
3 ☐ Traerse algo entre manos
4 ☐ Tener mano izquierda
5 ☐ Tener las manos largas
6 ☐ Apretar la mano
7 ☐ Estar con una mano por delante y otra por detrás
8 ☐ Cruzarse de manos
9 ☐ Dejar de la mano
10 ☐ Comprar de segunda mano

a manejar un asunto
b ser muy pobre
c ayudar a alguien
d desentenderse de un asunto
e tener habilidad, astucia
f tener propensión a pegar
g comprar algo usado
h abandonar un asunto
i aumentar el rigor
j no intervenir en un asunto

4 **Busca en esta sopa de letras los nombres de los principales protagonistas del *Cantar de Mio Cid*.**

G	T	S	J	I	M	E	N	A	H
R	O	D	R	I	G	O	B	A	P
C	V	F	E	R	N	A	N	D	O
D	B	N	U	M	J	K	Ñ	P	O
D	I	E	G	O	P	R	O	M	I
A	G	F	W	J	K	L	P	M	Y
I	V	J	E	R	O	N	I	M	O
L	B	I	C	J	L	R	O	I	U
R	I	M	I	N	A	Y	A	V	M
B	U	N	I	T	O	D	S	I	O

Gramática

Usos de *por* y *para*

La preposición **por** indica:

- una causa, circunstancia, lugar o motivo de algo
  Han cancelado el vuelo ***por*** *el mal tiempo.*
- el medio por el que nos comunicamos con otra persona
  Te llamo ***por*** *teléfono.*
- el medio por el que vemos, oímos, escuchamos, tocamos, sentimos algo
  La vi ***por*** *la televisión.*

La preposición **para** indica:

- destino o destinatario
  Este avión va ***para*** *Madrid.*
- una finalidad
  Este collar es ***para*** *Marta.*
- un límite de un plazo temporal
  Tienes que acabar esto ***para*** *mañana.*
- una comparación
  No lo hace mal ***para*** *ser la primera vez.*

5 **Escribe *por* o *para* según convenga en las siguientes frases.**

1 Estoy viendo escaparates .... la calle de Colón.
2 El AVE sale .... Sevilla a las tres.
3 .... las dos de la tarde estará preparada la comida.
4 Nos enteramos de la noticia .... la televisión.
5 .... mi cumpleaños quiero una tarta de nata y trufa.
6 ¡Qué maleta tan bonita! La voy a comprar .... mi madre.

Expresión escrita

6 **Imagina que te invitan a una boda. ¿Qué te parecen las bodas? ¿Las encuentras divertidas o aburridas? ¿Te gastas mucho dinero con el regalo, el atuendo, etc? Cuenta en ocho o diez líneas tus impresiones.**

La investidura de un caballero.

El honor caballeresco *en la Edad Media*

Si bien los ejércitos de las Cruzadas estaban compuestos por gentes de diversas naciones europeas, los valores ligados al concepto del honor caballeresco eran compartidos por el conjunto de los Cruzados.
Aunque el concepto del honor se atribuye sobre todo al caballero, los cronistas de la época de las Cruzadas idealizan estos valores, ya que esperan un cierto comportamiento moral de sus señores, y los cronistas eclesiásticos resaltan a veces elementos de la ética monástica, reflexionando sobre la vocación divina del caballero por ir a la Guerra Santa.
Los siglos XI y XII marcan el auge del ideal caballeresco. El honor

del Caballero era el honor del guerrero. Era un honor militar, viril y cortés, de origen germánico, ya que esta cultura siempre ha venerado los caballos y las armas.

El honor se determina por el valor militar y por el estatus fundamentado en las riquezas y en las posesiones obtenidas por las gestas militares. Se mide en primer lugar por el valor personal del caballero y por sus proezas en el combate, y también por su lealtad y devoción hacia su rey o señor. El honor caballeresco es un honor idealizado.

El valor era imperativo para el honor de un caballero, como lo era la pureza sexual para el honor de las mujeres.

Sin valentía, el caballero pierde su honor, su orgullo e incluso su virilidad. La huída en el combate y la falta de firmeza ante el enemigo eran los actos más deplorables para un caballero, ya que se le retiraba no solamente su honor, sino que se le rebajaba al rango de mujer.

En segundo lugar, el caballero mide su honor por su palabra y su lealtad.

El caballero que prestaba juramento debía declarar sus intenciones, debía confirmar que decía la verdad, reconociendo su deshonor si no mantenía la palabra dada.

El juramento era, consecuentemente, una de las bases del honor caballeresco. No cumplir el juramento estaba sujeto a las peores condenas morales.

La vergüenza y el deshonor estaban asociados a la cobardía y a la traición.

Perder el honor constituía uno de los peores males sociales. La sociedad actuaba como un tribunal de moralidad. El deshonor o el honor residían en la opinión pública, lo que podía conllevar sanciones sociales serias.

Era imperativo social restablecer el honor perdido, puesto que la

vergüenza se extendía a toda la familia. El honor era un valor del clan familiar, un bien colectivo que cada generación que lo hereda debe preservar.

Durante los siglos XI y XII, la palabra "honor" designaba también la noción jurídica de "feudo" o "patrimonio". Así, pues, el ideal del caballero era acumular riquezas. No obstante, el prestigio de un señor estaba ligado directamente a su generosidad con sus vasallos.

La hospitalidad, la caridad y la generosidad eran los rasgos de distinción del señor.

Es únicamente a partir del siglo XIII, cuando lo caballeresco se convierte en un asunto exclusivo de la nobleza.

Comprensión lectora

1 Responde a las preguntas.

1 ¿Qué siglos marcan el auge del ideal caballeresco?
2 ¿Cómo se mide el honor del caballero? ¿Y el de la mujer?
3 ¿Qué le sucede si el caballero pierde el honor?
4 ¿A qué se asocia el deshonor?
5 ¿Durante los siglos XI y XII todo el mundo puede ser caballero?
6 ¿Qué ocurre a partir del siglo XIII?

CANTAR **TERCERO** ❖ PRIMERA **PARTE**

La afrenta de Corpes

Estaba el Cid en Valencia con todos los suyos; sus yernos, los infantes de Carrión le acompañaban. En la habitación, el Cid tenía un león metido en una jaula. Mientras el Campeador está durmiendo, el león se escapa. Uno de los infantes, Fernán González, lleno de miedo, se esconde debajo de la cama del Cid. El otro, Diego González, huye corriendo y gritando:

—¡Ay, Carrión, no volveré a verte!

Despierta en esto el Cid, rodeado de sus buenos varones. Se levanta, coge al león por el cuello y lo mete en la jaula. Y todos los que ven esto se quedan maravillados.

Cuando encuentran a los infantes, están tan aterrorizados que toda la corte empieza a reírse, hasta que el Cid manda respeto.

Entre tanto, llegan fuerzas del rey Búcar de Marruecos a asediar Valencia y levantan más de cincuenta mil tiendas.

El Cid y su varones se alegran pensando en sacar buenas riquezas. Pero los dos infantes se apartan hablando así:

—Casándonos con las hijas del Cid, calculamos lo que ganamos pero no lo que podemos perder. Tenemos que entrar en batalla y seguro que no volveremos a Carrión.

Muño Gustioz oye lo que dicen y va a contárselo al Cid. Don Rodrigo va hacia los infantes sonriendo:

—Tenéis a mis hijas tan blancas como el sol en vuestros brazos. No os preocupéis, quedaos en Valencia descansando, porque yo solo soy capaz de vencer a esos moros.

Al día siguiente, manda el Cid armarse a toda su gente y a contra los moros. Los infantes piden el honor de dar los primeros golpes. Fernando se adelanta para atacar a un moro. Este, cuando lo ve venir, va contra él y el infante huye lleno de miedo. Pedro Bermúdez se arroja sobre el moro y lo deja muerto. Luego va corriendo hacia el infante que huye y le da el caballo del moro:

—Don Fernando, tomad este caballo y decid que habéis matado al jinete.

—Don Pedro —dice el infante—, te lo agradezco mucho.

Vuelven juntos y don Pedro da testimonio de la hazaña del infante. El Cid y sus vasallos se alegran mucho de saberlo.

Ya se oyen redoblar los tambores de los moros. Diego y Fernando tienen mucho miedo de encontrarse allí.

El obispo don Jerónimo acude también para pelear contra los moros, y es el primero que se adelanta para arremeterlos. A dos mata con la lanza, y con la espada a otros cinco más. Pero numerosos moros comienzan a rodearlo y a tirarle tremendos golpes con la espada.

El bien nacido que lo ve, coge el escudo, enristra [1] la lanza, espolea [2] a su caballo Babieca y se arroja sobre los enemigos.

Rompe por las primeras filas, derriba a siete y mata a cuatro. El Cid y los suyos corren en seguimiento de los moros. Y al fin los del Cid expulsan del campamento a los de Búcar.

Teníais que ver tantos brazos cortados, cabezas rodando por el campo, tantos caballos sin sus dueños, ir sueltos por todas partes.

Nuestro Cid va tras el rey moro Búcar diciéndole:

—Espera, ¡vuelve acá Búcar, que has de verte con Rodrigo!

Mientras él le contesta:

—Si el caballo no tropieza ¡no te has de juntar conmigo hasta llegar a mi nave!

Búcar tiene un buen caballo que da grandes saltos, pero Babieca, el del Cid aún los hace más grandes.

El Cid le da alcance cerca del mar. Alza su espada y le asesta un gran golpe. Los rubíes de su yelmo saltan de sus engarces por los aires, le parte el yelmo por el medio y le saltan los sesos y su tajante espada llega hasta la cintura.

Ha ganado a Tizona, la espada que bien vale mil marcos de oro, ha vencido la maravillosa y gran batalla, y todos han ganado muchas riquezas. Los yernos están muy alegres, han ganado hasta cinco mil marcos y le dicen al Cid:

—Gracias al Creador y a ti, tenemos ganancias incontables; por ti hemos combatido y vencido a los moros en el campo.

Los vasallos del Cid se reían de esto por lo bajo, porque no recordaban haberlos visto entre los combatientes. Con estas risas, los infantes empiezan a concebir un plan perverso:

1. **enristrar** : poner la lanza horizontal bajo el brazo para atacar.
2. **espolear** : picar con la espuela a la cabalgadura para hacerla andar.

La afrenta de Corpes

—Vamos a marcharnos a Carrión, llevamos demasiado tiempo en Valencia. Vamos a pedirle al Cid a nuestras mujeres, las sacaremos de Valencia y en el camino las abandonaremos. Podremos casarnos con hijas de reyes o emperadores, que para algo somos de la sangre de los condes de Carrión. Ofenderemos y nos burlaremos de las hijas del Cid.

Se ponen de acuerdo, vuelven a la corte y don Fernando dice:

—¡Dios te valga, Cid Campeador! Te pedimos un favor: entréganos a nuestras legítimas esposas porque queremos llevarlas a nuestras tierras de Carrión, y así, tus hijas verán los bienes que poseemos.

El Cid Campeador, sin sospechar nada, responde:

—Os daré a mis hijas y por ajuar[3] tres mil marcos; y os daré además caballos ágiles y corredores para montar y gran cantidad de vestidos de paño y seda tejida de oro, os daré dos espadas, Colada y Tizona, que he ganado en batalla. Servid a mis hijas y yo os recompensaré con largueza. Sois mis hijos, y por eso os doy a mis hijas. Con ellas os lleváis mi corazón. Quiero hacer saber en Galicia, en Castilla y en León con cuánta riqueza despido a mis yernos. Tratad bien a mis hijas, que son vuestras mujeres.

Así prometen hacerlo los infantes.

3. **ajuar** : conjunto de ropas y muebles que lleva la mujer al casarse.

Después de leer

Comprensión lectora

1 Elige la respuesta correcta entre las dos propuestas.

1 Al ver un león Fernan González se esconde debajo
- a ☐ de una mesa.
- b ☐ de una cama.

2 El Cid coge al león
- a ☐ por el cuello.
- b ☐ por la cola.

3 Al ver a los Infantes toda la Corte empieza a
- a ☐ reírse.
- b ☐ burlarse.

4 El obispo don Jerónimo
- a ☐ lucha contra los moros.
- b ☐ se queda rezando en la iglesia.

5 Los del Cid
- a ☐ expulsan del campamento a los de Bucar.
- b ☐ no expulsan del campamento a los de Bucar.

6 El Cid
- a ☐ no alcanza a Búcar.
- b ☐ alcanza a Búcar y lo mata.

7 La espada Tizona vale
- a ☐ 1.000 marcos.
- b ☐ 10.000 marcos.

8 Los Infantes de Carrión
- a ☐ planean matar a sus esposas.
- b ☐ planean abandonar a sus esposas

9 El Cid da a los Infantes
- a ☐ 6000 marcos.
- b ☐ 3000 marcos.

Léxico

2 El Cid es un héroe y encarna el modelo de caballero medieval. Clasifica los adjetivos siguientes que crees pueden caracterizarle en el cuadro abajo indicado.

fiel fuerte estratega guerrero cariñoso caprichoso
vago gracioso prudente charlatán ordenado tacaño
ingenuo torpe valiente supersticioso justo generoso
religioso culto honrado delicado

nada	
poco	
bastante	
mucho	
demasiado	
excesivamente	

3 Y los Infantes de Carrión, ¿cómo son? Haz como en el ejercicio anterior.

caprichosos ingenuos torpes valientes
prudentes cultos honrados miedosos inteligentes
corteses desconsiderados amables

nada	
poco	
bastante	
mucho	
demasiado	
excesivamente	

Expresión escrita y oral

4 Lee el siguiente poema en voz alta, y después contesta las preguntas.

Castilla

El ciego sol se estrella
en las duras aristas de las armas,
llaga de luz los petos[1] y espaldares
y flamea en las puntas de las lanzas.
El ciego sol, la sed y la fatiga.
Por la terrible estepa castellana,
al destierro, con doce de los suyos
-polvo, sudor y hierro- , el Cid cabalga.
Cerrado está el mesón a piedra y lodo.
Nadie responde.
¡Quema el sol, el aire abrasa!
Hay una niña
muy débil y muy blanca en el umbral[2].
"¡Buen Cid, pasad...! El rey nos dará muerte,
Idos. El cielo os colme de venturas...
¡En nuestro mal, oh Cid no ganáis nada!"
Calla la niña y llora sin gemido...
Un sollozo infantil cruza la escuadra
de feroces guerreros,
y una voz inflexible grita "¡En marcha!"

Manuel Machado (1874- 1947)

1. Describe la situación.
2. Busca en el texto a qué parte del Cantar pertenece y léela en voz alta.
3. Inventa un diálogo con el rey Alfonso VI en el que le pides clemencia para el Cid.

1. **peto** : coraza, armadura. 2. **umbral** : entrada, acceso.

CANTAR **TERCERO** ❖ SEGUNDA **PARTE**

Los infantes deshonran a las hijas del Cid

a comitiva de los infantes y sus esposas preparan la marcha y se despiden. El Cid las abraza y las besa. Ellas besan la mano a su padre y a su madre y reciben la bendición.

Tras un día de camino, llegan a Molina donde pasan la noche. Abengalbón les da hospitalidad, ofrece presentes a las hijas del Cid y regala dos caballos a los infantes de Carrión, por amor del Campeador. Estos, viendo la riqueza del moro, empiezan a maquinar una traición:

—Puesto que vamos a abandonar a las hijas del Cid, si de paso matamos al moro Abengalbón, podemos hacernos ricos.

Pero un moro que sabía la lengua los estaba escuchando, y al punto lo comunica a Abengalbón, el cual les dice:

—Solo por respeto del Cid no os doy la muerte ahora mismo. ¿Qué mal os he hecho? Mientras yo os sirvo sin malicia, vosotros concertáis mi muerte. Aquí os abandono como traidores.

Al cabo de algunos días, llegan al bosque de Corpes, donde pasan la noche al lado de una limpia fuente. Por la mañana, los infantes recogen las tiendas y mandan por delante a sus criados y familiares quedándose solos con sus esposas, las hijas del Cid. Cuando todos se han ido, los infantes meditan maldades:

—Doña Elvira y doña Sol, aquí vais a ser humilladas. Hoy mismo nos marcharemos y os dejaremos aquí abandonadas. No, vosotras no tendréis parte en la tierra de nuestro condado.

Les quitan los mantos y las pieles y las dejan casi desnudas. Los muy traidores llevan calzadas las espuelas, y echan mano de las cinchas y riendas. Los infantes de Carrión comienzan a golpearlas. Las golpean sin compasión y les clavan las espuelas donde más les duele. A las dos rasgan las camisas y la carne. Las maltratan de tal manera que se desmayan. Se cansan de golpearlas y de hacer apuestas sobre cuál de los dos pega mejor. Las dejan por muertas en el robledal de Corpes para ser rematadas por las aves del monte y los animales feroces.

—Ya nos hemos vengado de estas bodas. Ni para amantes nos sirven, no nos llegan ni a la suela del zapato para mujeres legítimas.

Y se marchan vanagloriándose [1] por los montes.

Pero el sobrino del Cid, Félix Muñoz, que no se fía de los infantes, vuelve atrás y ve que estos huyen sin sus esposas. Mientras se alejan, descubre a sus primas medio muertas.

1. **vanagloriarse** : alabarse uno excesivamente de su propio valer y obrar.

—¡Ay, primas, primas mías! ¡Qué mala acción han hecho los infantes! ¡Despertaos, por el amor de Dios! Tenemos que irnos enseguida. Si los infantes descubren mi ausencia, volverán y nos matarán.

Finalmente, las carga sobre el caballo y las lleva hasta San Esteban. Allí permanecen con Diego Téllez, hombre de Álvar Fáñez, hasta que se sienten completamente restablecidas.

Ya las nuevas han corrido por toda la tierra y llegan a Valencia.

¡Qué aflicción la del Cid, de Álvar Fáñez y la de toda su corte!

Ordena a Minaya, acompañado por doscientos caballeros, partir inmediatamente y traerle a sus hijas a Valencia.

Cuando regresan, el Cid sale a su encuentro cabalgando.

—¿Sois vosotras hijas mías? Dios os guarde de todo mal. He aceptado vuestro casamiento no osando contrariarlo. ¡Espero en Dios poder veros mejor casadas! ¡Con la ayuda de Dios he de vengarme de mis yernos! Muño Gustioz, ilustre vasallo, lleva el mensaje al rey don Alfonso. También él debe sentirse ofendido de la injuria de los infantes, porque ha sido él quien las ha casado, no yo, y la deshonra cae sobre él. Tiene que citarlos a juicio para poder reclamar yo mi derecho contra ellos porque el rencor que me roe el alma es muy grande.

Salen de Valencia, y sin descansar de día ni de noche, Muño Gustioz y los caballeros que le sirven, llegan al palacio del rey.

Le cuentan la afrenta de las hijas del Cid en el bosque de Corpes:

—¡Piedad, rey Alfonso! El Cid Campeador os besa los pies y las manos. Casasteis a sus hijas con los Infantes de Carrión, porque vos así lo quisisteis, y ya sabeis de qué les ha servido la honra y cómo nos han ultrajado.

Después de leer

Comprensión lectora

1 Responde a las siguientes preguntas.

1 ¿Quién acompaña a las hijas del Cid?
2 ¿A quién tienen que saludar al pasar por Molina?
3 ¿Qué maquinan los Infantes de Carrión contra Abengalbón?
4 ¿Por quién se entera Abengalbón del plan de los Infantes?
5 ¿Con qué propinan golpes los Infantes a sus esposas?
6 ¿En qué estado las abandonan?
7 ¿Quién regresa a buscar a las hijas del Cid?
8 ¿Qué decide hacer el Cid al saber lo ocurrido?

Comprensión auditiva

11 **2 Escucha esta parte del cantar tercero y completa el texto.**

Les quitan los (**1**) .... y las (**2**) .... y las dejan casi (**3**) .... Los muy (**4**) .... llevan calzadas las (**5**) .... y echan mano de las cinchas y riendas. Los (**6**) .... de Carrión comienzan a golpearlas. Las golpean sin (**7**) .... y les clavan las espuelas donde más les duele. A las dos rasgan las (**8**) .... y la carne. Las maltratan de tal manera que se (**9**) .... Se cansan de golpearlas y de hacer (**10**) .... sobre cuál de los dos pega mejor. Las dejan por (**11**) .... en el robledal de Corpes para ser rematadas por las (**12**) .... del monte y los animales (**13**) ....

—Ya nos hemos vengado de estas (**14**) .... Ni para (**15**) .... nos sirven, no nos llegan ni a la suela del (**16**) .... para mujeres legítimas. Y se marchan vanagloriándose por los (**17**) .... Pero el (**18**) .... del Cid, Félix Muñoz, que no se fía de los (**19**) ...., vuelve atrás y ve que estos huyen sin sus (**20**) .... Mientras se alejan, descubre a sus primas medio (**21**) ....

Léxico

3 Relaciona cada arma e indumentaria representativa de los caballeros medievales con la foto correspondiente. (Algunas ya han salido en el texto).

a ballesta
b hacha
c flecha
d escudo
e yelmo
f espada
g lanza
h pica
i peto

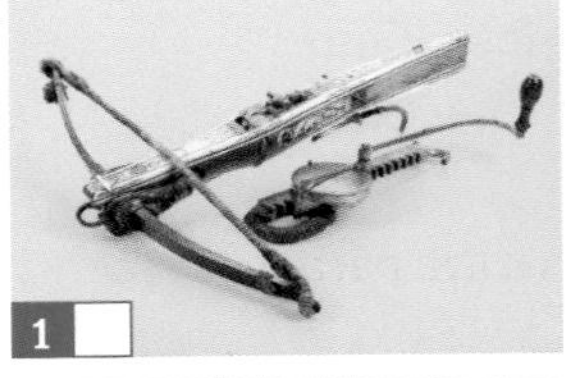

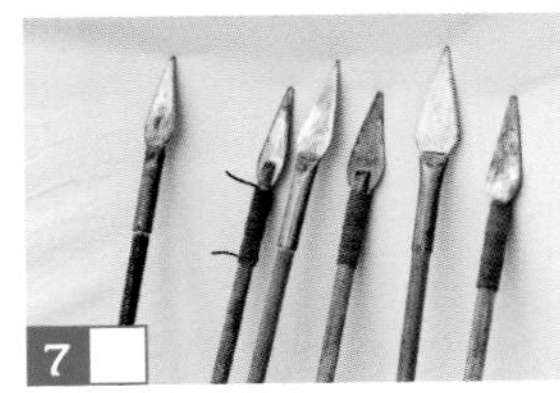

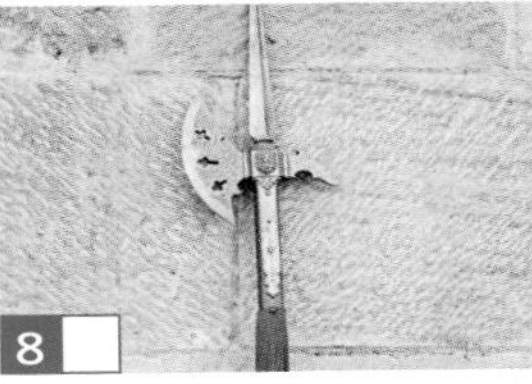

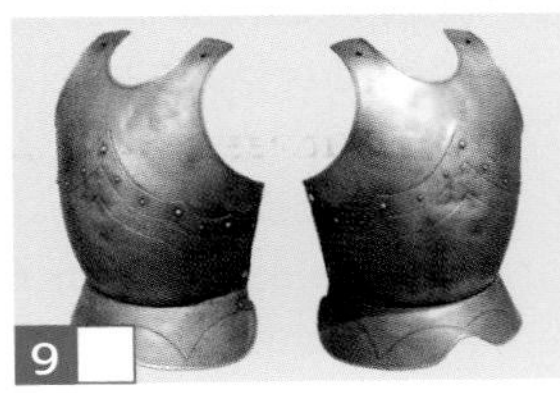

4 Ahora asocia las palabras del ejercicio de la página con su definición correspondiente.

1 ☐ máquina antigua de guerra utilizada para lanzar piedras gruesas.

2 ☐ arma arrojadiza acabada en punta por delante y una varilla por detrás que se dispara con arco

3 ☐ arma defensiva de metal, madera o cuero para cubrirse el cuerpo, que se llevaba en el brazo izquierdo.

4 ☐ herramienta cortante compuesta por una hoja ancha con filo y un mango de madera.

5 ☐ armadura del caballo para la guerra.
6 ☐ armadura del pecho.
7 ☐ especie de lanza larga compuesta de un asta con un hierro pequeño y agudo en el extremo superior.
8 ☐ arma larga, recta, aguda y cortante con empuñadura dura.
9 ☐ arma ofensiva compuesta de un asta en cuya extremidad hay un hierro puntiagudo y cortante.

Gramática

El imperativo

Solamente tiene formas especiales: la de la segunda persona del singular (tú) y la segunda del plural (vosotros). Se utiliza para expresar una orden.

*¡**Sal** de clase! ¡**Cierra** la ventana!*

La conjugación de la 2ª persona del singular es igual que la de la 3ª persona del singular del presente del indicativo. Pero existen ocho excepciones:

poner → **pon**	ser → **sé**	decir → **di**	ir → **ve**
hacer → **haz**	tener → **ten**	salir → **sal**	venir → **ven**

5 Tus padres se van de viaje por una semana y te dejan una nota con las siguientes recomendaciones. Transcríbela usando el imperativo. Sigue el ejemplo.

Cerrar la puerta con llave antes de salir → ***Cierra** la puerta con llave antes de salir*

1 Sacar la basura todas las noches.
2 Lavar los platos después de comer.
3 Poner el mantel en la mesa antes de comer.
4 Apagar la calefacción antes de salir.
5 Recoger el correo.
6 Hacer los deberes.
7 Regar las plantas.
8 Dar de comer al gato.
9 Tener cuidado con el perro del vecino.
10 Venir temprano a casa.

La figura del Cid *en el mundo del arte*

Como la de don Quijote, la figura del Cid se ha hecho tan famosa que se ha convertido en una leyenda y en una figura especial en el mundo del arte, porque es el prototipo de la hidalguía de los caballeros castellanos. Muchos artistas, tanto españoles como extranjeros, han plasmado su valor y sus hazañas, hasta llegar a ser un personaje central en varias obras pictóricas, literarias, musicales, y hasta cinematográficas.

En el siglo XVI se escriben varias obras de teatro de gran éxito: **Juan de la Cueva** escribe *La muerte del rey Don Sancho,* basada en la gesta del cerco de Zamora, mientras que **Lope de Vega** recrea diferentes hechos históricos del reinado de Sancho II en su comedia *Las almenas de Toro.* Pero las obras más importantes sobre el Cid llegan en el siglo siguiente y son *Las mocedades del Cid y Las hazañas del Cid,* escritas por **Guillén de Castro** entre 1605 y 1615, obras que permitieron al escritor francés **Pierre Corneille** inspirarse para componer *Le Cid* en 1636, una obra clásica del teatro galo.
El siglo XVIII no recrea con frecuencia la figura del Cid, excepto en el poema de **Nicolás Fernández de Moratín** *Fiesta de toros en Madrid,* en el que el Cid lidia [1] como rejoneador [2] en una corrida. Esta obra se

1. **lidiar** : combatir, pelear.
2. **rejoneador** : jinete que torea a caballo.

considera la fuente del grabado nº 11 de la serie *La Tauromaquia* de **Goya**. En el siglo XIX, el escritor francés **Victor Hugo**, en un poema titulado *"Le Romancero du Cid"* dedica 728 versos a la historia del Cid.

LE CID
TRAGI-COMEDIE.
Ex libris Recollectorum conventus
CVRVATA RESVRGO
A PARIS,
Chez AVGVSTIN COVRBE, Imprimeur & Libraire de Monſeigneur frere du Roy, dans la petite Salle du Palais, à la Palme.
M. DC. XXXVII.
AVEC PRIVILEGE DV ROY.

El Cid y la pintura

Las hazañas y leyendas relacionadas con don Rodrigo Díaz de Vivar han sido representadas en muchas ocasiones por pintores y, en el último siglo, incluso muralistas. Hay lienzos muy importantes, como la *Primera hazaña del Cid* de **Juan Vicens Cots** (1864), conservado en el Museo del Prado, o la *Jura de Santa Gadea*, de **Marcos Hiráldez Acosta** (1864), que actualmente se encuentra en el Palacio del Senado español. En Valencia, podemos encontrar el cuadro del artista impresionista valenciano **Ignacio Pinazo i Camarlench**, quien en 1879 pintó *Las Hijas del Cid*, que representa la escena de la afrenta de Corpes. Por último, cabe mencionar el mural *El Cid Campeador*, de **José Vela Zanetti**, que se encuentra en la cúpula del Palacio de la Diputación Provincial de Burgos.

La música y el cine

Las obras de Pierre Corneille y Guillén de Castro inspiraron a muchos compositores a lo largo de toda Europa, y el primero en dedicar una ópera al héroe castellano fue Peter Cornelius, que en 1865 compuso *Der Cid*. En 1873, el francés **Georges Bizet** puso en escena una ópera en cinco actos titulada *Don Rodrigue*, inspirada en *Las mocedades del Cid* de Guillén de Castro, mientras que en 1885, el francés **Jules Massenet**,

Cartel de la ópera *Le Cid*.

creó la música de la ópera en cuatro actos *Le Cid*, basada en la obra de Pierre Corneille. Por último, hay que señalar que existe también una ópera inacabada en tres actos de **Claude Debussy** titulada *Rodrigo y Jimena*.

En cuanto al mundo del cine y la televisión, la película más famosa es indudablemente *El Cid*, una producción ítalo-estadounidense que data de 1961. En el año 2003 el largometraje de animación *El Cid, la leyenda*, dirigida por José Pozo, obtuvo el premio Goya a la mejor película de animación.

Comprensión lectora

1 Responde a las preguntas.

1. ¿Por qué el Cid se ha convertido en una leyenda?
2. ¿Quién es el autor de Las mocedades del Cid?
3. ¿Qué autor francés escribió en el siglo XVII *Le Cid*?
4. ¿Dónde se conserva el lienzo de Juan Vicens Cots?
5. ¿Quién escribió en 1865 la música de la ópera *Le Cid*?

CANTAR **TERCERO** ❖ TERCERA **PARTE**

Justicia contra los infantes

Muño Gustioz y los caballeros del Cid llegan al palacio del rey Alfonso y le cuentan lo que los infantes han hecho a las hijas del Campeador.

—Decidle al Cid que me pesa de corazón lo que ha pasado —dice el rey—. Dentro de siete semanas, se juntarán las cortes en Toledo y haré venir a los infantes, donde responderán en derecho ante el Cid.

Los infantes de Carrión tienen miedo de encontrarse con el Cid y le piden al rey no asistir al juicio.

—¡No lo haré, así me salve Dios! Tenéis que responderle de las ofensas.

Llegado el plazo, todos los caballeros van acudiendo a la corte. Al quinto día, por fin, se presenta el Cid y se humilla ante el rey. Iban con él cien caballeros con las espadas escondidas bajo los mantos.

Cuando ven entrar en la corte al bien nacido, el rey y todos los cortesanos se ponen de pie; pero no se levantan los del bando de los infantes, que no se atreven a mirarlo llenos de vergüenza y de miedo.

El Cid besa la mano al rey y se pone de pie:

—Mi rey y señor, he aquí lo que demando contra los infantes de Carrión: han abandonado a mis hijas pero no me deshonra; porque vos las casasteis y hoy veréis lo que se ha de hacer. Pero cuando ellos se iban de Valencia, les he dado dos espadas. Y puesto que ya no son mis yernos, ahora me las tienen que devolver.

Los jueces sentencian que el Cid tiene razón. Los infantes entregan al rey las dos espadas, Colada y Tizona, y este se las da al Cid, que se pone muy contento.

—¡Gracias a vos, mi rey y señor! Pero todavía tengo otro encargo. Cuando han sacado de Valencia a mis hijas, les he dado tres mil marcos en oro. Ahora tienen que darme mi dinero, puesto que ya no son mis yernos.

Y el juez sentencia que tienen que satisfacer la demanda del Cid. ¡Ay! ¡Teníais que ver las quejas [1] que hacían los infantes de Carrión! Pues creían que con las espadas, no iba a pedir nada más.

Como han gastado todo el dinero, tienen que pagar en especies, y el Cid Campeador lo acepta. Los infantes, no pudiendo hacer otra cosa, hacen traer multitud de caballos corredores, de mulas robustas, de hermosos palafrenes [2], de espadas con todos sus arreos. Todo lo tasan los de la corte y Mio Cid lo recibe, incluso tienen que pedir prestado. Esta sentencia les deja arruinados.

Pero después de haberle pagado, aun faltaba otra cosa:

—Oídme toda la corte y compartid, todos, mi furor; a los

1. **queja** : expresión de dolor, pena o sentimiento.
2. **palafrén** : caballo manso en que solían montar las damas y los reyes y príncipes.

infantes que tanto me han ultrajado, quiero retarlos[3].

Fernando González dice, con irritadas voces, lo que vais a oír:

—Déjate de eso, Cid. Ya te hemos pagado tu dinero. Con hijas de reyes o emperadores podemos casarnos. Tenemos derecho a dejar a tus hijas y no nos infamamos por eso, sino que valemos más.

A lo que Pedro Bermúdez le responde:

—Fernando, mucho más vales por el Campeador que por ti. Acuérdate cuando decías que habías matado a un moro y todos te consideraban un héroe, todos ignorantes de la verdad. Eres hermoso pero cobarde. ¿Y cómo te atreves a hablar? ¿No te acuerdas cuando se escapó el león mientras el Cid dormía, y lleno de miedo, te metiste debajo de la cama del Cid? ¡Oh, Fernando, reto a tu persona mala y traidora!

Oíd lo que dice Diego González:

—Tenemos sangre de los condes más limpios. No nos hemos arrepentido de haber abandonado a las hijas del Cid, sino que nos hemos honrado más por el hecho de abandonarlas. Esto mantendré en combate con el más valiente.

A esto Martín Antolínez se ha levantado:

—¡Calla, traidor, boca sin verdad! A la hora del combate tienes que decir que eres traidor y mentiroso.

Asur González, hermano de los condes de Carrión, entra en la corte y empieza a insultar al Campeador. Entonces, se levanta Muño Gustioz y lo reta.

El rey fija el combate en tierras de Carrión, para dentro de tres semanas. El Cid no quiere asistir, se despide del rey y vuelve a Valencia.

Llegado el día, ya visten las armas los del Cid. En otra parte se

3. **retar** : invitar una persona a otra a luchar o competir con ella.

están armando los infantes, muy arrepentidos de haber cometido tantos abusos.

El rey y los jueces preparan el campo y luego salen fuera.

Con la lanza en la mano, y los escudos frente a los pechos, espolean a los caballos que hacen temblar la tierra.

Pedro Bermúdez se enfrenta con Fernán González. Con su espada Tizona vence al conde, que queda así deshonrado.

Los jueces lo otorgan, y Pedro Bermúdez se aleja.

Diego González sale del campo al ser atacado por Martín Antolínez, que con su espada Colada lo deja infamado.

Muño Gustioz y Asur González se golpean en los escudos. Asur González le traspasa el escudo y le estropea la armadura, pero la lanza se desliza sin coger la carne. Entonces Muño Gustioz carga a su vez y rompiendo el escudo le mete la lanza por el cuerpo de parte a parte.

Gonzalo Ansúrez, padre de los infantes de Carrión, declara que su hijo ha sido vencido, los jueces lo confirman, quedando así infamados tanto el padre como los hijos.

Las hijas del Cid se van a casar con los reyes de Navarra y Aragón, quedando así honrados, tanto las hijas como el padre.

Grandes fiestas hay en Valencia la mayor, porque los del Cid han salido de aquel trance con gloria.

Ruy Díaz, acariciándose las barbas, exclama:

—¡Loado sea el Rey de los cielos! Ya mis hijas están vengadas.

Nuestro buen Cid, señor de Valencia, murió en la Pascua de Pentecostés. Dios le haya perdonado y también a nosotros, justos y pecadores. Y en llegando a este punto se acaba la canción.

Quien escribió este libro
Ha de darle Dios el paraíso, ¡amén!
Per Abbat lo escribió en el mes de mayo,
en el año 1345.

Después de leer

Comprensión lectora

1 Marca con una ✗ si las afirmaciones siguientes son verdaderas (V) o falsas (F).

		V	F
1	El rey Alfonso no está apesadumbrado.	☐	☐
2	Las Cortes se reunirán en Toledo ocho semanas después.	☐	☐
3	El Cid se presenta con 200 caballeros.	☐	☐
4	Los Infantes pagan al Cid en especies.	☐	☐
5	El rey fija el combate para dos semanas después.	☐	☐
6	El Cid no quiere asistir al combate.	☐	☐
7	Fernán Gonzalez vence al conde.	☐	☐
8	Las hijas del Cid se van a casar con los reyes de Navarra y Aragón.	☐	☐
9	El Cid está muy contento.	☐	☐
10	El Cid muere en Navidad.	☐	☐

Léxico

2 Empareja estas expresiones, que se aplican con frecuencia al Cid, con su significado.

1 ☐ El de Vivar
2 ☐ El buen luchador
3 ☐ El de la hermosa barba
4 ☐ El que en buena hora nació
5 ☐ El que en buena hora ciñó la espada
6 ☐ ¡Qué buen vasallo si tuviera buen señor!

a el que cuando fue armado caballero contaba con una buena posición de los astros y con buena suerte.
b el que nació con buena estrella y con un destino favorable.
c que es un gran hombre, pero su rey no está a su altura.
d que es valiente, temible, hábil, inteligente.
e el que nació en Vivar.
f el hermoso, el bello.

Expresión escrita y oral

3 Lee con atención la biografía de el Cid y a continuación escribe junto a cada fecha los acontecimientos importantes de su vida, como en el ejemplo.

Rodrigo Díaz nace en Vivar (Burgos) en 1043. A la muerte de su padre, lo envían a la corte del rey Fernando I de Castilla.
Allí es educado con los hijos del rey. Su mejor amigo, el príncipe Sancho, le arma caballero en 1060. Cuando se convierte en rey, Sancho le nombra oficial y le da el mando de la guardia real.
En 1067 recibe el título de Campeador, es decir, batallador de campo. Muy admirado por todos, en 1074 Rodrigo se casa con Jimena, con quien tiene tres hijos, Diego, María y Cristina.
Muerto el rey Sancho, el nuevo rey, Alfonso, hermano de Sancho, destierra a don Rodrigo. Así que, en 1080, Rodrigo sale de Castilla con sus vasallos y entra al servicio del rey moro de Zaragoza. En 1082, vence al Conde de Barcelona y recibe el título de Cid ("mi señor") de los musulmanes de Zaragoza.
Después de esto, Alfonso VI, solicita la ayuda del Cid para defender su territorio. Tras prestarle sus servicios, Rodrigo es perdonado y puede regresar a Castilla. Pero en 1089 vuelve a ser desterrado, y el Cid tiene que marcharse de nuevo junto con su mujer Jimena y sus soldados.
A partir de 1088, el Cid decide que todas sus acciones serán por voluntad propia y no al servicio de nadie.
Protege la ciudad de Valencia y así se convierte en el hombre más poderoso de la zona oriental de la península ibérica.
En 1094 consigue sitiar la ciudad de Valencia, donde muere entre Mayo y Julio de 1099.
La tradición cuenta una curiosa anécdota de su vida, ya que toma prestado a dos judíos, Raquel y Vidas, la cantidad de 600 marcos, dejándoles en prenda dos cofres cuidadosamente sellados, llenos de objetos preciosos. Cuando se enriquece gracias a sus hazañas bélicas, les devuelve la suma, y les revela que los cofres solamente contenían arena, pero que "la arena contenía el oro de su palabra".

1043 Nace en Vivar (Burgos)

1060 .... 1080 .... 1088 .... 1099 ....

1067 .... 1082 .... 1094 ....

El Cid

AÑO: 1961
DURACIÓN: 182 min.
PAÍSES:
Estados Unidos / Italia
DIRECTOR:
Anthony Mann
GUION: F. M. Frank,
P. Yordan, B. Barzman
GÉNERO: Histórico

En 1961 el director Anthony Mann llevó a la gran pantalla las hazañas del Campeador, novelando la gran epopeya histórica de su vida y su lucha por conquistar el reino de Valencia a los moros. Para ello, pudo contar con grandes actores, del calibre de Charlton Heston y Sofia Loren, quienes personificaron respectivamente don Rodrigo y su mujer, doña Jimena.
El corte elegido para esta producción ítalo-estadounidense fue el típico de las películas del oeste, dominado por la exaltación de la figura del héroe, y donde los buenos se enfrentan y ganan a los malos. Las escenas exteriores se rodaron en muchos puntos de España, sobre todo en los antiguos y majestuosos castillos y fortificaciones en las provincias de Cuenca y Castellón, que dieron a la película el valor histórico necesario para hacer revivir la grandeza de las hazañas del Cid.

En su época la película tuvo muchísimo éxito de taquilla, y obtuvo tres candidaturas al Óscar, aunque no consiguió ganar ninguna estatuilla.

1 Contesta a las siguientes preguntas.

1 ¿En qué año se rodó El Cid?
2 ¿Qué representan las fortificaciones y castillos de Cuenca y Castellón?
3 ¿Cuántas candidaturas al Oscar obtuvo?

1 **Pon las imágenes siguientes en el orden cronológico de la historia.**

2 **Ahora asocia cada imagen del ejercicio anterior con su descripción correspondiente.**

1 El Cid descansa después de la batalla.
2 Las hijas de el Cid se casan con los reyes de Navarra y Aragón.
3 El Cid se dirige a la conquista de Valencia.
4 El Cid envía regalos al rey.
5 Destierro de Mio Cid.
6 El abad Don Sancho recibe de el Cid la suma de cien marcos para el cuidado de su familia.

3 **Estas palabras han salido en la lectura. Empareja cada palabra con su definición.**

a	maitines	**c**	alcázar	**e**	justa	**g**	queja
b	ensillar	**d**	mesnada	**f**	ajuar	**h**	vanagloriarse

1 ☐ conjunto de ropas y muebles que lleva la mujer al casarse.
2 ☐ torneo a caballo y con lanza.
3 ☐ compañía de gente armada al servicio del rey.
4 ☐ castillo.
5 ☐ poner la silla al caballo.
6 ☐ primer rezo de la mañana antes del amanecer.
7 ☐ alabarse uno excesivamente de su propio valer.
8 ☐ expresión de dolor pena o sentimiento.

4 **Responde oralmente o por escrito a las siguientes preguntas.**

1 ¿Qué sabes del Cid?
2 ¿Te parece interesante esa época histórica? ¿Por qué?
3 ¿Qué puedes contar acerca del concepto del honor en la Edad Media?
4 Cita una obra importante de la literatura española sobre el Cid, y a su autor.
5 Cita a un autor francés del s. XVII que escribió una obra teatral sobre el Cid.
6 ¿Podrías citar al autor de la ópera "Le Cid" y la época a la que pertenece?
7 ¿Puedes explicar la frase: "Dios qué buen vasallo si tuviera buen señor"?
8 ¿Qué impresión te provoca la insistencia del Cid al afirmar que no es él quien casa a sus hijas?
9 ¿Por qué quieren los Infantes de Carrión vengarse de sus esposas?
10 ¿Cómo recibe el Cid la noticia de la afrenta de sus hijas?
11 Tú eres uno de los caballeros que presencian las bodas de las hijas del Cid. Escribe cómo han sido, dirigiéndote a un amigo.
12 Para el Cid la recuperación del honor es fundamental. Para ti, ¿qué es el honor?
13 ¿Tiene el honor sentido en nuestros días?
14 Tú estás con el Cid cuando se encuentra en Valencia en lo alto de una atalaya, con su esposa. Haz una descripción de lo que se ve desde ahí arriba.